鹿児島大学島嶼研ブックレット

14

TOUSHOKEN BOOKLET

奄美の文化人類学

桑原季雄 著
KUWAHARA Sueo

●目次●

奄美の文化人類学

Anthropology of the Amami Islands

KUWAHARA Sueo

I　はじめに

　本書は奄美群島に関して、これまで、いつ、誰によって、どのような研究がなされてきたのかを、文化人類学的研究にしぼって紹介するものです。ここでいう文化人類学的研究とは、「異文化」についての記述です。文化人類学は、人類学者が異文化に出かけて行って、その地に長期滞在し、現地の人々の生活様式を詳細に調査し、その文化について記述した「民族誌」の作成を目的とする学問です。しかし、いわゆる「他者」についての記述は何も人類学だけに限りません。本書でこれから紹介するように、幕末に流刑の地奄美大島で薩摩藩士によって書かれた『南島雑話』や、明治中期にドイツの動物学者によって書かれた『奄美大島旅行記』、終戦直後の米軍軍政下に人類学者によって書かれた『北部奄美大島調査報告書』も、すべて、「他者」あるいは「異文化」についての記述です。本書では、必ずしも文化人類学者によるものでなくても、奄美の社会や文化について、現地での参与観察や調査に基づいた記述であれば、文化人類学的研究として紹介していきたいと思います。ただし、本書で取り上げることができなかったものも数多くあります。本書はあくまでも人類学者の視点で取り上げた奄美の社会や文化に関する主な研究の紹介で、今日までの奄美の文化人類学的研究の大まかな歴史が分かるよう意図して書かれたものです。

そこで、本題に入る前に、本書の舞台となる奄美群島について簡単に見ていきましょう。奄美群島は、鹿児島県本土の南端から台湾にかけて長さ約千キロに及ぶ緩やかな弧を描いて連なる南西諸島に位置します。南西諸島は鹿児島県の薩南諸島と沖縄県の琉球諸島からなり、薩南諸島は大隅諸島、トカラ列島、奄美群島から構成されます。県最南端に位置する奄美群島は北の喜界島、奄美大島（加計呂麻島、与路島、請島を含む）から南西の方角に徳之島、沖永良部島、与論島まで八つの有人島からなり

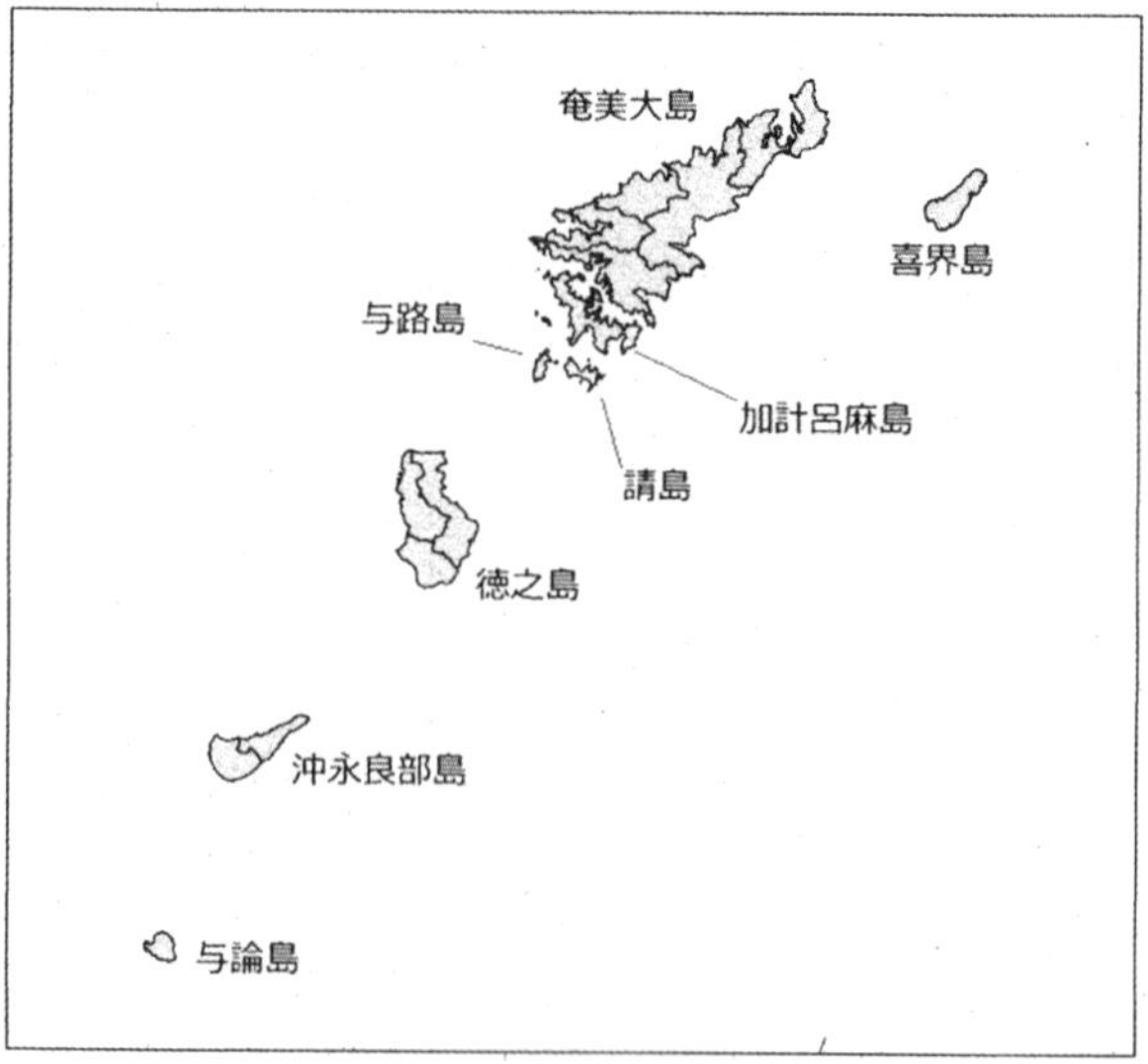

図１　奄美群島地図
（出典：環境省奄美野生生物保護センター）

ます（図1）。

鹿児島県は全国でも有数の島嶼県で、島の数は長崎県に次いで全国で二番目に多く、市町村の数や人口、島の総面積はいずれも全国一です。また、奄美群島は人口約十一万人の一市九町二村からなり、最も人口の多い奄美大島は約七万人、奄美市は約四万五千人と、国内の島嶼地域でも際立って大きな群島をなしています。

奄美群島は亜熱帯性の気候に属しているため、サンゴ礁が発達し、亜熱帯性の動植物が数多くみられます。近年、特に、その生物多様性の価値が明らかになり、世界自然遺産登録の候補地となっています。また、奄美の文化も島ごとに、あるいは集落（シマ：奄美では集落をシマと呼びます）ごとに微妙に方言や民俗が異なり、その文化的多様性が明らかになりつつあります。

奄美群島とトカラ列島南端の宝島との間には、生物学的、文化的に明確な境界線があり、動植物相、言語や民俗など文化的にもはっきりと異なります。琉球文化と大和文化の両方の影響を受けてきた奄美の文化は、方言や世界観、宗教信仰、シマウタや八月踊りなどの民俗芸能等々、日本の中の「異文化」として研究されるくらい非常に独特だといわれてきました。一九七〇年代頃までは、その違い（差異）や「島」自体が、むしろ差別を生み出す要因であり、否定的な価値でしかありませんでした。ゆえに、一九七〇年前後まで、学校教育では方言を使うことが厳しく戒められました。都会で標準語がうまく話せないというだけで差別されたり社会に適応できなかったりしたからです。本土に出てきた奄美出身者のなかには、奄美出身であることを堂々とあかせなかったという話もよく耳にします。

ところが、一九九〇年代以降、この奄美の文化のその差異が、それ以前とは逆に、価値あるものとして次第に評価されるようになりました。一九九〇年代の沖縄のミュージシャンの活躍や島唄ブーム、そして二〇〇二年の、奄美出身の唄者元《はじめ》ちとせの歌の全国的ヒットは、奄美が全国に認知された象徴的な出来事でした。また、それは、奄美の人たちにとっても、自分たちの文化の価値を再認識するきっかけとなった画期的な出来事でした。さらに、二〇〇四年には世界自然遺産登録の候補地となることによって、奄美の自然の価値も再認識されるようになり、国内外での奄美の認知度が増しつつあります。

このように、奄美は亜熱帯の自然やその独特の伝統文化において全国的にも非常に個性的な地域ですが、その価値が奄美の人たち自身によって認識されるようになったのは、最近の話だと言えます。本書では、特に、奄美の自然や文化の価値を再認識し、正しく評価する上でも、奄美がこれまでどのように記述・表象され、研究されてきたのかということについて、文化人類学的観点から紹介し、解説します。

Ⅱ　奄美の人類学的研究の歴史

奄美の人類学的研究は、ごく大まかに見れば、江戸末期の名越左源太の『南島雑話』に始まり、明治中期のドイツ人動物学者ドゥーダーラインの『奄美大島旅行記』、大正期の柳田国男の『海南小記』、そして昭和戦後期のアメリカの人類学者ハーリングによる『北部奄美の現地調査報告』、オーストリアの人類学者クライナーによる加計呂麻島の伝統的宗教祭祀の研究、九学会連合の奄美調査に参加した多くの人類学者による奄美の家族・親族研究や民俗音楽研究と続き、平成以降もシマウタや八月踊り、アイデンティティ、開発、災害、闘牛、葬制、ツーリズム、環境保全など多岐にわたる研究が行われてきました。以下では前半でこれらの研究を概観した上で、後半では、特に奄美研究の新たな展開として、開発、闘牛、環境保全に関する研究のほか、その他の多様なテーマに関する研究についても簡単に紹介していきたいと思います。

1　江戸期の名越左源太と『南島雑話』

「異文化」あるいは「他者」の文化を観察し記述するのが文化人類学的行為であるとすれば、

奄美の文化人類学的研究の歴史は幕末にまで遡ることになります。奄美の社会や文化に関する最初の記述は、幕末の十九世紀半ばに書かれた名越左源太の『南島雑話』であると言われています。

名越左源太は、薩摩藩の若く優秀な上級武士でしたが、薩摩藩主島津斉興の後継者擁立をめぐる政治的陰謀に加担したとして遠島の刑に処せられ、江戸時代末期の一八五一年から一八五五年まで五年間にわたって奄美大島の小宿村（現奄美市名瀬小宿）に滞在しました。しかし、遠島から二年後の一八五二年春に「嶋中絵図書町方《しまなかえずしょちょうかた》」に取り立てられ、島内を調査するように命じられました。流罪中に異例とも言える公職を依頼された左源太は、当時の奄美の自然や民俗文化を詳細に観察・調査し、三百枚を越えるイラストと短文で記録に残しました。これにより、当時の島民の生活と深いかかわりをもった動植物や生産、衣食住、冠婚葬祭、芸能、信仰習俗などが細部にわたってかなり正確に知られることとなったのです。これは、今日でも奄美の遠い過去の自然や民俗を知る上で最も貴重な「図解民俗誌」となっています。

名越左源太が書き残した奄美大島の島民の生産生活から信仰習俗にいたる数々の記録やイラストを見ると、彼がいかに非凡な観察者であり優れた描写力をもった人であったかがわかります。動植物を含む奄美の自然環境も島民の生活との関連においてよく描かれています。また、動植物の図説の中に、アマミノクロウサギ等の重要な動物のイラストが簡潔な特徴とともに記載されています。『南島雑話』の構成と内容について見てみましょう。

『南島雑話』は「大嶹竊覧《だいとうせつらん》」「大嶹便覧《だいとうびんらん》」「大嶹漫筆《だいとうまんぴつ》」「南島雑記」「南島雑話」の五冊からなり、「大嶹竊覧」では「蕎麦の事」「粟の事」「稲貯の事」「麦作の事」「山畠の事」「甘藷の事」といった農耕や農作物に関する記述が、また「大嶹便覧」では、「衣服」「養蚕」「芭蕉」などの項目で紬や芭蕉布の製法が詳細に記されています。さらに「大嶹漫筆」では、「居室、倉廩《そうりん》、屋敷構之事」として、屋敷の構造、茅葺きの家や高倉、神事のための小屋などの建築法のほかに、「味噌」「醤油」「酢」「菓子」、さらに「焼酎」「造酒（みき）」「黒糖」の製法などについて多くのイラストと一緒に詳しく描かれています。「南島雑記」は島の気候、地理、地誌、婚礼、習俗などについて、また、「南島雑話」では、クロウサギなどの島の動植物、ケンムンなどの妖怪、ノロ、ユタ、風葬、樹上葬、失火者への制裁、子供の遊び、年中行事、食物などについて細かく記述されていますが、著しく羅列的であるのが特徴です。

例えば、ユタ（与太）について、「ホソンカナシ、別名与太と言い、火の神、水神、木神、土神、金神、家神、釜神、宅神、門神などを祭る。山神や川神の祭事がある。男女ともに与太と呼ばれる。ホソンカナシは与太の頭に当たる。与太はノロクメとは異なる。ホソンカナシは法者である」と、イラストを添えて記しています。また、闘牛については、「例年八月十五日と九月九日に闘牛があり、島で最高の見世物である。日本の相撲や芝居のようで、遠くから男女が見物に大勢集まる」と書き留めています。さらに、八月踊りについては、「一日一夜、村中の家々をまわって踊る。代官所から横目、蔵方目付、付役、島役の家々で踊る。鳴り物(太鼓)は馬の皮を毛のまま張る。自製の太鼓以外に鳴り物はない」と八月踊りのイラストに添え書きされています(図2)。『南島雑話』の魅力は、何といっても、その豊富で見事なタッチのイラストにあると言えます。

図2　八月踊り
(出典：名越 1984：77)

2　明治期のドゥーダーラインと『奄美大島旅行記』

『南島雑話』に次ぐ貴重な資料的価値を有する奄美の社会や文化に関する記述は、明治の中頃、ドイツの動物学者ルードビッヒ・ドゥーダーライン（写真1）によってもたらされました。ドゥーダーラインは二年間の契約で、東京帝国大学で生物学を教える当時二十五歳の少壮の学者でしたが、専門とする動物学の調査を兼ねて、その短い滞在期間中に日本各地を旅しました。その彼が、一八八〇（明治十三）年八月十五日から十六日間、奄美大島を訪問し、名瀬から大和村を経て加計呂麻島を往復した時の旅行記が、翌一八八一（明治十四）年に、社団法人ドイツ東アジア協会（現ドイツ東洋文化研究協会）の機関誌に「琉球諸島の奄美大島」と題して発表されたのです。彼のこの論文は、ヨーロッパに奄美大島を紹介した世界で最初のものとなりました。そもそもの旅行の動機は、奄美大島が沿海動物の研究に最適

写真1　ドゥーダーライン
（出典：クライナー・田畑 1992：13）

図３　ドゥーダライン大島での旅程図
（出典：クライナー・田畑 1992：33）

な場所だと東京で聞いたことにあり、今までほとんど知られていない琉球諸島の動物相、特に海の動物相の調査にありました。この旅行には通訳兼助手としてタカマツという日本人を伴って東京を出発し、神戸から那覇行きの三菱会社の汽船「赤龍丸」で、鹿児島を経由して名瀬に向かいました。

当時、鹿児島から名瀬まで船で約三十六時間かかり、名瀬港へ到着したのは夏の日の夕方でした。名瀬到着後はすぐに目的地である奄美大島南部加計呂麻島の実久《さねく》集落に向かいました（図3）。奄美の夏の独特な蒸し暑さと悪路に疲労困憊しながら、西廻りで小宿を経て、陸路を大和村の大和浜へ向かい、さらに徒歩や馬で旅を続け、最後は宇検村から刳り舟で加計呂麻島の実久集落に三日もかかって到着しました。旅の途中に聞いた印象深い話として、現在奄美フォレストポリスというキャンプ場がある大和村の福元盆地に、「かつて三二軒も家があったが、六尺もある大きなハブ（毒蛇）がうようよしていたために、とうとう廃墟になった」という話を記しています。目的地の実久集落では一番立派な漢方医の家が宿としてあてがわれました。しかし、運悪く大型の台風に遭遇したため、六日間も足止めされ、「この台風の六日間、我々の生活は大変だった。暗い部屋に閉じこもり読み書きはほとんどできなかった。最後の二、三日は、ほとんど食べられない少量の魚のはらごの塩漬けと、ご飯と海草のみであった。時間を少しでも利用するため、主人をつかまえられるかぎりつかまえ、大島のあらゆることについて話してもらった。そのおかげで他に聞くことのできなかった大島について興味深いことを沢山聞くことができた」と記しています。

また、風俗習慣についての記述をみると、人々が常に親切丁寧で、途中で出会う人のほとんどが立ち止まって挨拶したことや、人々がとても清潔であったこと、また、女性たちが両手の甲だけに同じ模様の入れ墨をしていて、その習慣は沖縄から入ってきたと記しています。

宗教については、この島には寺（神社）がなく、僧侶（神主）もおらず、島民の崇拝の対象は彼らの祖先で、その先祖へ捧げる供物は花瓶にさされた緑の小枝だけで、米飯の供物を見たことがなかったと述べています。そして、この珍しい祖先崇拝はもはや日本では見られず、神道宗教の最も本来的な形ではないかと推測しています。

また、奄美の創成神話にも触れていて、太古、この島にアマミコという二柱の神（男性神がアマミキウ、女性神がシネリキウ）が降臨し、奄美大島の名称はこれに基づいていることや、日本民族が昔、大隅から最初大島に、そして沖縄に渡来し、ここに稲作と粟作の農業を普及させたといった内容を書き留めています。

祭りについては、盆踊りにあたる祭りが八月と九月の丙（ひのえ）と丁（ひのと）の「アラセツ」の日に行われ、壬（みずのえ）、癸（みずのと）は「シバサシ」、もう一つの甲（きのえ）、乙（きのと）は「ドンガ」で、この祭りは踊りであると記しています。ドゥーダーラインは通訳を介して、複雑な干支や「アラセツ」「シバサシ」「ドンガ」などの民俗語彙もしっかりと書き留めているのです。

農業についてもよく調べています。例えば、多く栽培されている作物が砂糖黍、稲、薩摩芋、織物用の芭蕉、ピーナツであることや、稲は十二月に播き、四月に植え付け、八月から十月の間に収穫し、砂糖黍より広い面積を取っていること、薩摩芋は斜面にたくさん植えられていて、最も重要な食料であることが記されています。さらに、蘇鉄《そてつ》は険しい日当たりの良い山の斜面に、海抜二百メートル位まで規則正しく列状に植えられていて、季節に関係なく入手でき、飢饉の際の非常に大切な「パン蔵」となっていると述べています。

こうして、はからずも当初の予定より大幅に滞在が延びたため、調査報告の内容は専門とする動物学の分野に止まらず、広く奄美大島の地理、地質、歴史、言語、風俗習慣、宗教祭祀、建築、植物、農業、林業、漁業、商業等々と多岐にわたっています。彼の叙述は、見聞したものを忠実に記録しているので、紀行文としても楽しめます。ヨーロッパに帰国後は、日本とヨーロッパのウニについての論文を発表し、一生を通じてウニと軟体動物の研究に力を注ぎましたが、ストラスブルクやミュンヘンの大学で行った講義の中で、たびたび日本や奄美での調査結果に触れたと言われています。

3　大正期の柳田国男と『海南小記』

学問としての奄美研究の始まりは、日本民俗学の創設者である柳田国男が一九二一（大正一〇）年の冬、奄美・沖縄旅行をもとに書いた『海南小記』（一九二五）の前後だと言われています。柳田は一九二〇（大正九）年一二月一三日に東京を出発し、一五日に神戸から春日丸に乗船して別府に上陸後、大分、臼杵、都井岬を経由して大隅半島を横断し、一九二一（大正一〇）年一月四日に鹿児島から沖縄行きの宮古丸で旅立ち、一月五日に那覇に上陸しました。その後、約一ヶ月にわたって沖縄本島、石垣島、宮古島で視察を行なった後、一月九日に名瀬に到着し、陸路で住用村の三太郎峠を越え、翌二月まで南部へ旅をしました。そして、大島本島最南端の港町

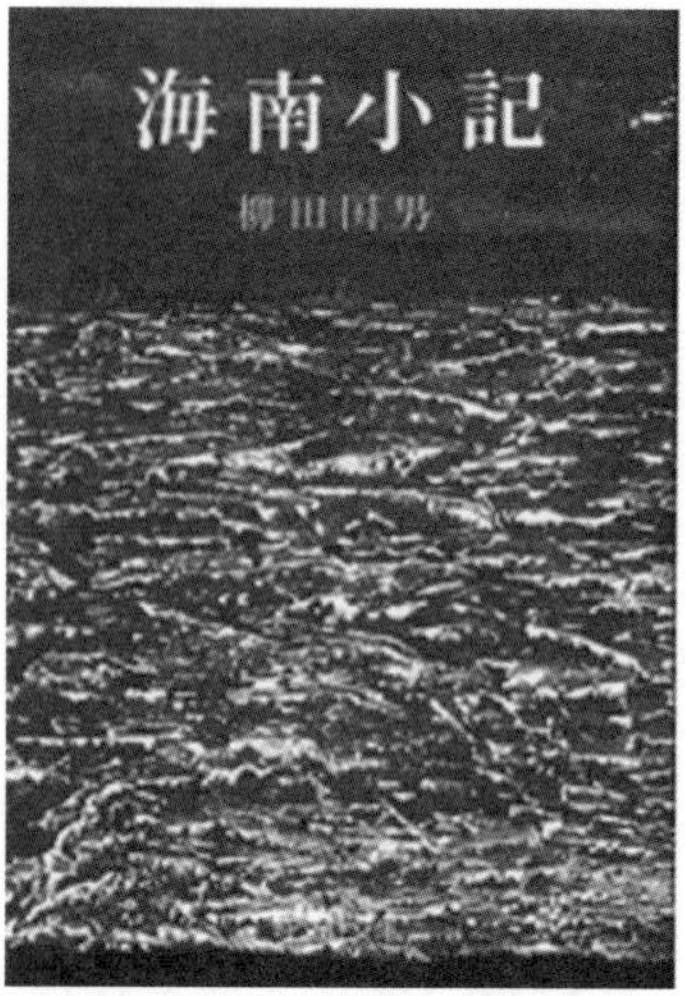

図4　柳田国男『海南小記』
（旺文社文庫、原著一九二五年）

古仁屋《こにや》から船で対岸の加計呂麻島に渡り、いくつかの集落を訪問した後、対岸の西古見《にしこみ》集落、宇検村の阿室《あむろ》集落を経て船で名瀬に戻るという旅の間に、年中行事や昔話、ノロなどについて調査を行いました。その後、二月一五日に鹿児島に戻り、帰京したのは三月一日でした。帰京後まもなく『東京朝日新聞』紙上で、一九二一（大正一〇）年三月二九日から五月二〇日まで三二回にわたって、「海南小記」と題して南島紀行が連載されました。これに別の四篇を加えて『海南小記』として出版されたのが一九二五（大正一四）年のことでした（図4）。

『海南小記』の中で、奄美に関しては、女性の入れ墨（針突き）、三太郎峠、子供の遊び、婦人の簪、能呂久米《のろくめ》の首領である御印加奈之、加計呂麻島のユタ、ニライの神ナルコ・テルコ神などの記述があります。たとえば、住用村（現奄美市住用町）の東仲間と西仲間の二つの集落を結ぶ三太郎峠の名前の由来について、三十年余り前に内地人の夫婦がこの峠に茶屋を建てて付近の林を開墾したことから、この峠はその男の名にちなんで三太郎峠と呼ばれるようになったが、この峠を通る新道の計画が変更になってこの峠を通らなくなったため、三太郎はついに茶店をやめてしまったとのこと。その後はどうなったのかと気になって、峠のその一軒の家の前に来てみると、正月だというのに蒲団を被った婆さんの白髪頭と、囲炉裏のこちら側で肘を枕にごろりと寝ている三太郎が見えたと書き記しています。

また、宇検村でも特に古い村の阿室集落には能呂（祝女）が五人いて、村の聖地御獄を祀っているが、白い祭衣を着て神山に登り、祭りを終えて下りて来るまでの儀式の様子は誰も窺い知ることができないことや、沖縄と違って大島にはオモロを語り伝えるグジと呼ばれる男の補佐役が五人いて、その内の一人、親グジが語って聞かせてくれた話によれば、「神は天に七日、この婆に七日、龍宮に七日と昇りに七日お過ごしなされる。一月のうちに七日しかない祭りの日を、自分たちだけは数えることができるのだ」と語ったといいます。

しかし、この柳田国男の旅の第一の目的は沖縄にあり、『海南小記』の全二十九の項目（見出し）のうち、奄美に関する記述は六項目と、全体の五分の一であることからも、沖縄への関心の大きさが分かります。そもそも柳田が奄美・沖縄へ強い関心を持ったのは、奄美・沖縄の研究が日本本土の「民俗」の解明に有力な根拠を提出すると考えたばかりでなく、日本人の祖先がどこから来たかという「民族」の起源の問題解明にも寄与すると考えたからでした。柳田は日本の最も古い信仰形式が沖縄に遺っているのは、日本民族が南から北へ移動したからで、日本民族が沖縄を経て北進したとする柳田の「日本民族起原説」は、宝貝を求めて大陸から稲作民が南島に渡来したのであろうと説いた『海上の道』（一九二五）において改めて提示されましたが、「海南小記」以降、奄美・沖縄の研究の新しい機運がいっそう高まっていきました。

4　昭和期の人類学者による主な研究

戦後の昭和期の主な研究は、米軍軍政期のハーリングの調査に始まり、九学会連合による奄美共同調査、クライナーの加計呂麻島の調査、山下欣一のシャーマニズム調査、小川学夫らの民俗音楽調査と続きます。

(1) ハーリングによる奄美大島の総合的研究

人類学者による奄美で最初の調査研究は、米軍軍政下の奄美大島でアメリカ人のシラキュース大学の人類学者ダグラス・ハーリングによって行われました。ハーリングは、ワシントンの米国連邦学術研究委員会の太平洋科学研究部による沖縄・宮古・八重山・奄美の四諸島の学術調査が一九五一年から行われた際、奄美大島に派遣され、同年九月から一九五二年三月まで半年間にわたって人類学的調査を行いました。この調査はアメリカ軍政府行政官への報告を目的としたもので、一九五二年一〇月に『琉球諸島の科学的調査：琉球諸島北部の奄美大島』と題する報告書を軍政府に提出しています。ハーリングは、毎日のように通訳と助手を伴いジープで名瀬市内を始め近隣の集落、および北部の龍郷《たつごう》村や笠利村をまわり、夕食の団欒から宴会、集会、八月踊り、祭り、宗教、儀礼、葬式に至るまで生活の様々な場面で多くの参与観察調査をおこなう一方、奄美群島府政府の種々の統計資料によって奄美群島の実態把握にも力を注ぎました。さらにシマウタの唄者やノロやユタなどの宗教的職能者に対しても調査を試みています。写真や映像記録もたいへん重視し、特に大島紬や黒糖、鰹節の製造過程や、板付舟等の造船過程については何度も現場へ通って撮影記録をとっています。

例えば、家族について、父系的家族組織は日本におけるのと同様に男性の系統を排他的に強調するが、実際には女性の影響力が大きいこと、姻族関係は親密で、愛情表現もけっして控え目ではなく、女性は比較的自由であり一〇世紀の仏教到来前の日本を思い起こさせると述べています。この中国の仏教の影響によって日本の女性は従属的地位におかれましたが、ここ奄美群島では仏教が決して広く受容されなかったことが、奄美の女性の自由と影響力に寄与しているようだとも述べています。

興味深い記述として、奄美文化を形作る主な歴史的要因について述べています。それによると、西暦一一八五年に日本の内戦（源平合戦）で敗退した武士が大挙して奄美に移入し、奄美文化の基礎をつくったこと、薩摩藩による奄美の隷属化によって、奄美は二五〇年間日本本土における不動の権力であった徳川の影響にさらされなかったことから、奄美人は徳川の影響抜きの日本文化を代表する故に、重要な研究領域であるとの見解を提示していることです。こうした見方の背景には、ハーリングが奄美大島にやって来た一九五一年頃から奄美群島日本復帰運動が全郡的な広がりを見せ始めていたことや、ハーリングが復帰運動に同情を示すかのように、奄美が沖縄とよりは日本本土との関係が深いことを盛んに強調していたことが彼の記述の随所に見て取れます。こうして、ハーリングの研究は奄美群島の本土復帰に関する米軍政府の判断にも何がしかの影響を与えたと思われます。

（2） 九学会連合による奄美群島の包括的研究

一九五三年に奄美群島の本土への返還が実現すると、米軍占領によって近代化に取り残された奄美群島へ本土の研究者がどっと押し寄せました。その先鞭を切ったのが一九五五年から二年間にわたって奄美群島各地で行われた九つの学会が連合して行った奄美群島共同調査でした。この調査には百人以上の研究者が参加し、その中には多くの民族学者や社会学者も含まれ、その成果は一九五九年に『奄美―自然・文化―』として出版されました。九学会連合の調査はその二〇年後の一九七五年から七九年にかけて二回目の調査が行われ、この間の自然や社会の変化について詳細な現地調査資料をもとに、一九八二年に『奄美―自然・文化・社会―』が公刊されました。こうして九学会連合により、広範な社会研究が実施される一方、民族誌的記述をめざした集中的な調査成果も公表されるようになりました。九学会連合の調査に参加した本土の研究者にとって、奄美には、珍しい家族・親族制度、宗教信仰、民話や民間伝承、世界観など、本土ではすでに失われつつあった「伝統文化」がまだたくさん残されていました。これら島外の研究者による奄美研究は、シャーマンとしてのユタや、ノロと呼ばれる女性神役とその祭祀組織、ハロージやハラ、ヒキと呼ばれる親族関係と村落構造などが主要なテーマでした。

島外の研究者の奄美研究の特徴は、以上のようなテーマを中心としてフィールドワークを行ない、多少とも比較研究を通じた普遍化を目指したことでした。この比較は、一つは沖縄との比較研究であり、もう一つは日本本土との比較研究でした。このうち、奄美と沖縄の比較の前提とされていたのは、奄美も琉球文化圏に含まれるという認識でした。

ハーリングや一回目の九学会連合の総合的調査の後に行われたのは、奄美のノロやユタなどの民間信仰やオナリ神、ニライ・カナイなどの世界観やヒキやハロージ等の奄美の親族関係、シマウタや八月踊りなどの民俗音楽といった専門的なテーマに特化したインテンシブな調査研究でした。以下では、これらの研究について詳しく見ていきましょう。

(3) クライナーの女性祭祀と世界観の研究

早い時期から優れて琉球・奄美に関する研究課題とされたのがオナリ神の問題と女性祭司ノロを中心として組織された神役組織の問題でした。オナリ神とは姉妹（オナリ）がその兄弟（エヘリ）に対して神的存在であり、姉妹が兄弟をその霊力をもって庇護するという信仰にもとづく南島の神観念です。かつて、村落では兄弟が姉妹の霊的庇護のもとに村政を執り行なっていたといわれてきました。オナリ神研究はこうして、同時に、祭事に全権を掌握する女性祭司およびそれが組織する祭団の研究ともなっていきました。

沖縄の聖なる国ニライ・カナイと、この世界から出現する来訪神の問題も、柳田国男などによって注目されて以来、南西諸島の民間信仰の研究の主題のひとつになっています。こうした先覚者の研究を批判的に検証した研究が、一九六〇年代の後半にヨーゼフ・クライナーによって行われました。オーストリアのウィーン大学出身のクライナーは、短期の調査に終わったハーリングに続いて一九五三年の本土復帰後の奄美を調査した二人目の外国人人類学者です。彼は一九六〇（昭和三五）年から六一（昭和三六）年にかけて、奄美大島南部の加計呂麻島で三回にわたってノロと呼ばれる女性神役による集落の宗教祭祀や南西諸島の基層文化を形成する世界観と神観念について詳細な現地調査を行い、特に、「来訪神」と「滞在神」について分析を試みました。クライナーによれば、加計呂麻島の村落の伝統的宗教生活は「ノロ制度」に集中していて、この制度は、村の聖地と祭祀行事を担当する女性からなる神人衆（神連中）とそれを中心とする観念体系を意味し、歴史的にそう古くない時代に沖縄から奄美や加計呂麻に導入されたのでした。

旧暦の二月と四月のカミ迎え、カミ送りの祭り、六月の稲作関係の一連の祭りも、海の彼方のニライ・カナイ（ネリヤ・カナヤ）から村の拝所に現れる神々と、天から降臨するオボツ神の出現を中心としていることから、加計呂麻島のノロ信仰は、二つの世界観に大別できます。一つは、シマ（村）＝世界の初めに当たるシマタテの神（創成神）が常にこの世に座しながら村と村民の存続を守っています（シママモリ）。この神は性も数も名も分からず、神祭りの行事にもあまり目立たず、神体もほとんどなく、ただ毎日朝晩トネヤの神棚で男性神役のグジヌシュによって祀られている「常在神」です。それに対してもう一つの世界観は、人間の世界とあの世をはっきり二つに分け、神々の世界は海の彼方ないし海の底のネリヤ・カナヤ＝ナルコ・テルコクニ、あるいは天上のオボツにあり、神々は時を定めてそのいずれかの他界から人間の村（シマ）に出現し、それぞれの神役に拝まれて、村に富をもたす「来訪神」です。クライナーによれば、南西諸島の神観念はニライ・カナイ（ネリヤ・カナヤ）からの来訪神が、その来訪的性格を、次第に定着的性格の滞在神として強めていくというところにあるといいます。

（4）山下欣一のシャーマニズム研究

奄美のシャーマニズム研究は一九七〇年代に最も盛んとなった研究です。シャーマニズムの問題も、神観念や他界観と並んで、民間信仰の分野の主題の一つで、シャーマニズムの研究が本格的に始動したのは一九六〇年代に入ってからのことでした。奄美出身の山下欣一によって、奄美のシャーマン、すなわちユタの成巫《せいふ》過程や呪術的行為、ユタの神観念や霊魂観の問題などが積極的に追求され、奄美の呪術的世界の全体像が明るみになりました。

山下の代表作である『奄美のシャーマニズム』（一九七七）では日本の巫女の問題に始まり、奄美のユタの問題とその歴史、ノロとの関係、奄美のユタ研究の歩みに触れた後、長年の現地調査よる成果をもとに奄美のユタの実態について詳述し、奄美のユタの全貌を解明しています。山下によれば、奄美にはユタという民間の呪術宗教的職能者がいて、一定の期間、業病に悩まされたあと、親ユタによって巫病《ふびょう》と判断され、神からの召命であると告げられ、最初は抵抗しますが、最後はユタになることを受け入れるといいます。奄美のユタは、薩摩の藩政下や明治に至るまで繰り返し弾圧されましたが、巫病を発現し、原因不明の難病と闘い、成巫式を経て治癒され高い霊力を得て、やがて職能者として精神的苦悩または病苦に悩む人々を救うという社会的役割を果たしています。現在でも奄美の人々は、個人や家族の悩みを抱えると、癒やしを求めてユタに会い、現在と将来を占ってもらうことが普通に行われています。ユタとは、ユタ本人にとっては病苦の克服であり、住民一般にとっては、精神的苦悩を癒し、未来を占う一種のカウンセラーであると言えます。

(5) 奄美の親族研究

上述したように、戦後の南島研究は、沖縄も奄美も外国人の研究者によるものが端緒となり、一九五〇年代後半からの人類学的研究は、主として本土の民族学者や民俗学者によって行われてきました。欧米において一九五〇～六〇年代にすでに興隆をみた家族・親族・婚姻・出自に関する民族学理論の影響をうけて、この種の社会研究は奄美群島の研究に多大な成果をもたらしました。

奄美群島では親族関係を表す用語として「ヒキ」、「ハラ」、「ハロージ」があります。ヒキは奄美群島のみならず琉球諸島のほぼ全域に広く分布している親族用語ですが、奄美大島では、共通の祖先を持つ成員からなる親族集団はヒキと呼ばれ、男性の妻は彼のヒキには含まれませんが、一方で妻たちはハロージとして認識されています。ヒキは共通祖先によって単系的に関係づけられる人々のカテゴリーであり、ハロージは自己を中心に双系的にたどられるカテゴリーとして、両者は区別されます。ヒキは祖先崇拝を行う集団であり、ハロージは農作業などの共同労働を行う集団とも認識されています。また、ヒキは一般的には「一門」の意味で、日常生活において人を紹介する際に「わしらと同じヒキだ」というように使ったり、配偶者選択に当たって、「いいヒキ」とか「悪いヒキ」と言われたりします。沖永良部島と与論島ではヒキのかわりに「ハラ」という語が使われています。与論島では、個人は父方のハラと母方のハラの両方に属しており、父の家(自分の生家)、母の両親の家、父方祖母の両親の家、母方祖母の両親の家の四つ家で行われる祖先祭に参加します。ハラの成員は父方と母方の双方に辿ることができることから、ハラは双系制であり、日常生活の様々な場面で重要な単位となる点で、本土の父系親族集団の同族とは異なります。

ヒキは三世代程度の世代深度での親族の関係づけの原理としては意味がありますが、それより遠い祖先との関係づけとしてはほとんど機能しないと言われています。三世代の範囲というのはハロージ（姻戚・親戚）の範囲でもあります。ハロージの機能は、農業や製糖など生産活動や婚礼葬儀における互助共同のみならず、「ウヤンコー」（高祖祭）や年忌などの祖先祭祀においても重要です。冠婚葬祭では本家・分家の関係にある人ばかりでなく、姻戚にあたる配偶者の家族や親族も頼りにされます。彼らも葬式や結婚式の際に必ず呼ばれ、一緒になって手伝いをします。つまり、嫁さんの親族が夫の実家の冠婚葬祭にも深くかかわるのであり、逆もしかりです。このように、奄美では、ハロージと呼ばれる双系的親族組織が単系親族集団である出自関係と同等に重要なのです。

奄美のヒキやハロージにみるような親族カテゴリーは、祖先中心と自己中心の両カテゴリーの併存が、その組織原理上の特徴だといわれています。奄美においても、家の存続をもたらす原則は長子優先相続ですが、長男がいても娘に生家を相続させることができるという点で本土の同族組織とは大きく異なります。また、家族単位の祖先祭祀である位牌祭祀と墓の管理についてみれば、妻の実家や母の実家の祖先を祀ることが多く認められ、このことは奄美家族の双系的特質をいっそう顕在化させています。また、奄美では沖縄の「門中」のような単系的親族集団の発達も見られなかったのです。

奄美の社会構造の比較研究として本格的に行われ、かつ大きな成果を上げてきたのは日本本土の社会組織との比較研究でした。この点で注目すべき研究として蒲生正男の喜界島の社会構造に関するハロージの研究（一九五九）と中根千枝のヒキの研究（一九六四）があります。喜界島滝川集落を調査した蒲生の研究によれば、喜界島の集落は独立した個々の家の平等性に特徴づけられ、人々はハロージを基盤に労働や儀礼で自主的に連帯します。これに対して本土の農村では、人々の連帯は、同族のように家の垂直的に形成されるか、あるいは年齢組のように水平的に形成され、共同作業への参加はリーダーの権威や罰金などによって義務づけられています。蒲生は、また、ハロージと祭祀的諸儀礼における「一重一瓶」慣行に注目し、日本の親族組織の一類型としてハロージ型親族集団を摘出し、奄美社会は家族の対等性と独自性を基礎としたハロージ社会であると規定しました。さらに彼は、奄美の社会が同族制や年齢階梯制を欠如し、日本の村落社会の二類型である同族制社会とも年齢階梯制社会とも異なる「第三の社会類型」であるといち早く指摘しました。こうした特徴を持つ奄美社会はまた、特定の差別的価値的イデオロギーを欠如し、人々の行動様式において、多様で柔軟性に富む社会構造を特徴とした社会でもあります。特に男性に対する女性の位置づけが本土とは大きく異なり、例えば、奄美では一九七〇年代から八〇年代にかけての紬ブームの時代に、女性たちは家事をしながら家で、あるいは近くの紬工場で朝から晩まで紬を織ってお金を稼ぎました。女性の副業が男性の仕事の収入をはるかに上回り、一家の経済を支えた日本でも珍しい事例です。女性が一家を支えるような家庭の在り方も、その社会背景に、男の面子が重視される単系親族組織的な同族社会とは異なる双系的親族組織的なハロージ社会の特質があればこそだと思われます。

一方、「タテ社会」の研究で有名な中根千枝は、ヒキのカテゴリーおよび機能集団としての作用について分析し、奄美には本土の村落の集団構成を特徴づける地縁集団（同族や年齢組織など）はなく、近隣関係は村落内の集団構成の要素として極めて機能が低く、ヒキに象徴される血縁関係によって地縁的な枠が弱められていると論じています。実際、日常生活においても、「ヒキ」「エンピキ」などの関係にある人々との往来がはげしく、相互援助の用意が常に出来ていることなどから、結論として、「家」を単位に地縁を重視する日本本土に対し、奄美ははるかに血縁機能が強い社会であり、その基盤はヒキ組織にあるとしました。

一九七〇年代後半には奄美群島の多くの集落で過疎化、家族の高齢化が進みました。こうした状況下で、祖先祭祀にも重要な変化が起き、妻＝母方の先祖の祭祀も合わせて行う双系的形態が増加しました。蒲生はこうした変化を、喜界島では、親族組織のハロージが生産や労働における機能を失ったが、婚姻や祖先祭祀などの儀礼的目的のために人々を組織する際には、依然として重要な役割を果たしていると述べています。

以上、奄美における親族研究は、双系社会、すなわち、単系出自組織でもなく、家という共住単位に基づくのでもない社会について考察する重要な機会を提供してきたのです。

（6）奄美のシマウタの研究

シマウタは戦前から終戦後にかけて盛んにうたわれました。当時の娯楽といえば集まって三味線に合わせてシマウタを歌うことでした。男女が掛け合って歌う歌垣も盛んでした。結婚式の披露宴でもシマウタがうたわれ、最後は必ずみんなで六調を踊って終わります。高度成長期の七〇年代に若者たちはギターを手に、もっぱらフォークソングやポップスを歌っていました。八〇年代にシマウタ・コンクールや民謡大会でシマウタの人気が盛り返し、全国民謡大会で優勝者が何人も出たことにより、若い人がシマウタに興味を持つようになりました。その中で一九九〇年代後半にシマウタの唄者がプロの歌手になっていったことや、元ちとせや中孝介《あたり》といった唄者がJ-POPでメジャーデビューし、一躍全国的に知られる人気歌手になったことも、シマウタブームに火をつけました。今では、小学生や中高生がシマウタ教室に通い、方言のシマウタを習い、コンクールでの優勝を目指し、その先にプロの歌手を夢見る者も増えたことで、シマウタが盛んになりました。

研究の分野では、こうした戦後の奄美の民俗音楽の変遷は、内外の研究者によって比較的よく研究されてきました。八月踊りやシマウタなど民俗音楽についての研究は、これまでの奄美研究の中で、戦前、戦後を通じて今日に至るまで最も息の長い、そして最も実り多い研究分野となっています。奄美の民俗音楽に関する最も古い記述は、江戸時代末期の一八五〇年代に前述の名越左源太によって書かれた『南島雑話』の中のに八月踊りのイラストと記述ですが（図2）、シマウタについて最も優れた最初の研究は、文英吉《かざり》と久保けんおという二人の奄美出身者によるものです。文英吉は、初めて奄美のほとんどすべてのシマウタを採譜し、その歌詞を記述・分類しました。続いて久保けんおは、シマウタの採譜と歌詞をさらに補足・加筆し、体系化を行いました。その後は、本土の民俗音楽の専門家によって奄美の民俗音楽の分析と位置付けがなされました。特に、小島美子と内田るりこは奄美の音楽を琉球音階と本土の大和音階の間に正確に位置づける研究を行いました。さらに、小川学夫と酒井正子は奄美大島と徳之島での長期の現地調査により、さらなる新たなシマウタの掘り起こしや分類作業を行い、体系化をより精緻なものにしました。中原ゆかりは奄美大島北部の八月踊りに関してインテンシブな調査研究を行い「民族誌」

として刊行しました。その後も奄美の民俗音楽に関する調査研究は跡を絶たず、海外の研究者も参入して益々活況を呈しています。

Ⅲ　奄美研究の新たな展開

本章では、まず、私自身が行った開発、闘牛、環境保全に関する三つの人類学的研究を紹介します。奄美の開発に関する研究は、開発に関して主に新聞記事やシンポジウム等で語られた言説と現地調査資料をもとに考察します。闘牛に関する研究は、同僚と三人で行った共同研究です。闘牛が行われている日本の全ての地域を三人で手分けして現地調査を行い、韓国の闘牛についても、闘牛の盛んな慶尚北道の清道《ちょんど》市を訪れて調査した研究です。環境保全の研究は、奄美市住用町で行ったリュウキュウアユの保全活動の調査資料と文献その他の資料をもとに考察したものです。また、その他の研究として紹介するのは、沖永良部島、奄美大島、与論島出身の三人の研究者によるアイデンティティ、仏教、葬制に関する研究、三人の外国人研究者（中国人二名と韓国人）による奄美の自然災害、婦人会、エコツーリズムに関する研究、さらに、奄美の共同墓地についての研究で、これらは比較的最近の人類学的研究です。また、奄美の相撲に関する最新の研究は、奄美を長年調査研究してきた沖縄の人類学者によるものです。

1　奄美の開発論的研究

(1) 開発人類学

人類学の一分野である開発人類学は、その前身が「植民地応用人類学」でした。第二次世界大戦後、「植民地」は「発展途上国」へ、「植民地主義」は「開発主義」へと装いを新たにしました。奄美の歴史もいわば、植民支配の歴史でした。例えば一五世紀には琉球に、一七世紀には薩摩に支配され、第二次大戦後、今度は米軍に支配され、日本復帰後は補助金で「霞が関」に支配されてきました。本章では、開発人類学の視点を分析の参照枠として、奄美の開発の問題を人類学の観点から考察します。「開発言説アプローチ」と呼ばれる方法によって、奄美群島の復興、振興、開発に関する特別措置法(奄振法)に謳われた「言説」や、奄振による開発の是非をめぐって語られた「言説」、さらに一九九〇年代のゴルフ場開発問題をめぐる「言説」を取り上げ、次に、文化現象としての開発という「開発と文化」の視点から奄美の開発問題を全体的に考察します。

(2) 奄振法にみる言説

奄美群島は一九四六(昭和二一)年一月二八日に本土と分離されて米軍統治下に置かれました

が、一九五三（昭和二八）年一二月二五日、念願の本土復帰を遂げました。戦災とそれに続く行政分離による八年間の空白時代により、復帰当時の経済、文化は荒廃を極めました。一九五四（昭和二九）年六月二一日、「奄美群島復興特別措置法」（復興法）が制定され、本格的な復興が始まりました。復興計画は、「奄美群島における住民の生活水準を概ね戦前（昭和九～一一年）の本土並に引き上げる」ことを目標として、一九五四年度から実施されました。一九五七（昭和三二）年度の実施状況は、五ヵ年間での計画完了は全く望めない状況でした。そこで、実施期間を延長するとともに、事業内容を補完改訂した復興一〇ヵ年計画が一九五八（昭和三三）年六月三〇日、内閣で決定をみました。同一〇ヵ年計画は、「群島経済の自立化を促進する」というものでしたが、群島民一人当たりの所得も、全国平均の半分にも満たない状況でした。

一九六四（昭和三九）年三月三一日、復興法は「奄美群島振興特別措置法」（「振興法」）と改称され、一九六九（昭和四四）年三月に一部改正され、実施期間も一九七三（昭和四八）年度までの一〇年間に延長されました。その後も一九六九（昭和四四）年、一九七九年（昭和五四）、一九八九（昭和六四）年、一九九九（平成一一）年、二〇〇九（平成二一）年、二〇一八（平成三一）年と一〇年毎に延長されてきました。一九七四（昭和四九）年三月の復興法一部改正で、名称が「奄美群島振興開発特別措置法」（「振興開発法」）となり、振興開発法は、奄美群島の特性と発展可能性を生かし、環境の保全を図りつつ、積極的な社会開発と産業振興を進め、本土との諸格差を是正することを目標としました。一九七九（昭和五四）年には、新たに「観光の開発に関する事項」が加えられ、振興開発計画の実施に当たっては、「環境影響評価を行うこと等により、公害の防止及び自然環境の保全について適切な考慮を払う必要がある」とされました。一九九九（平成一一）年度の「第三次奄美群島振興開発計画」の部門別構想では、「観光・リゾートの振興」においてこれまでになく多くの計画が盛り込まれています。

これら「奄振法」にみる言説として、繰り返し出てきた言説は、「県本土との格差是正」、「群島経済の自立的発展」、「基盤整備」でした。しかし、「格差」の指標は、群島民一人当たりの所得と国民および県民所得との比較というように、経済的指標しか示されていません。また、「自立」が掲げられていますが、「群島経済の自立」とは何をもって自立というのか、といった理念が示されていません。「基盤整備」の重視も一貫して変わっていませんが、社会基盤の整備、経済基盤の整備、農業基盤の整備というように、時代とともに内容が個別的、細分的になってきている点は大きな変化といえます。

（3）奄美の開発問題をめぐる言説

奄美の本土復帰五〇周年を記念して二〇〇四（平成一六）年一月三一日に鹿児島大学の主催に

より名瀬市（現奄美市名瀬）で行われた鹿児島大学プロジェクト「島嶼圏開発のグランドデザイン」による研究会とシンポジウムも、奄振に関する「言説」を見ていく上でたいへん興味深いものがあります。六人のパネリストの顔ぶれは、奄振を立案し施行する行政担当者や振興計画に積極的な提言を行ってきた大学教授に対し、環境保護運動の立場から奄振延長に反対の表明を明確に打ち出している市民運動家などです。

シンポジウムは三部からなり、第一部の総合シンポジウムでは『奄美研究と開発の接点』と題して鹿児島県庁職員、日本経済専門家、環境保護運動家の三名により、「奄振法をめぐる状況」「転機を迎えた奄振」「奄振反対の理由」「奄振の評価をめぐって」「奄美の産業振興の可能性」「公共工事と環境問題」「住民運動から見た奄美の危機」等々について様々な主張や意見が繰り広げられました。

第二部の研究討論会一では、『奄美研究の過去・現在・未来』と題して、それぞれ、奄美経済社会論、南島文化研究、奄美経済史の三名の専門家により、「経済自立という課題」「地産地消と地域経済」「奄美における開発と自立」「『奄美』というアイデンティティ」「ひとつの奄美といくつもの奄美」等々の内容についての主張と質疑が行われました。

第三部の研究討論会二では、『島嶼圏開発をめぐる諸問題』と題して、海洋土木工学、水産経済学、環境経済学の三名の専門家が、「奄美・沖縄の赤土問題」「沖縄の漁業・奄美の漁業」「離島が抱える問題」「持続可能な政策」等々の内容についての主張を展開し、質疑が後に続きました。ここでは、特に奄振についての議論が沸騰した第一部と第二部の言説を中心にその特徴を見ていきましょう。

シンポジウムにおける議論の第一の特徴として、開発に対して賛成・反対、どちらの立場の言説も、奄美の現状を、その過去との比較において指摘し、過去を比較に持ち出すことで、伝統的なものをよしとする本質主義的議論への傾斜が伺えることです。例えば、開発推進の立場からは、「七世紀から一四世紀、奄美はインターナショナルな活動をしていた。誰にも支配されていなかった時代、そのとき奄美は一番輝いていた。（中略）だからその前の、七世紀から一四世紀の奄美が輝いていた時代の精神構造をもう一回取り戻してかなり自立に向けて何かやっていかなければいけないのではないだろうか」。また、開発反対の立場からは、「奄美が奄美で在り続ける方向をめざすなら、先人たちがあの苦しい歴史の中で、どう生きてきたかをもう一度学ぶべきだ。地球規模での環境破壊がクローズアップされている今、先人たちの自然とのかかわり方は世界に発信する価値がある」と。開発人類学の議論においては、異文化が比較の対象となるのに対し、奄美の開発問題においては、奄美の過去の歴史の中に理想とするモデルを求め、現状が批判されることが大きな特徴といえます。

二つ目の特徴は、二項対立的議論です。たとえば、「奄振延長に賛成か反対か」、「開発か環境保護か」、「ゴルフ場開発か自然保護か」、「奄振開発か内発的発展か」、「行政主導か住民参加か」などです。沖永良部島出身の奄美経済史家による「一つの奄美か、いくつもの奄美か」の議論もそうです。彼は、「奄美」という言葉でひとくくりにされることに違和感があり、復帰運動の過程ではじめて「奄美はひとつ」という意識が共通認識になったが、復帰から五〇年たった今、もはや「奄美はひとつではないのではないか」ということを非常に強く感じるようになったと主張しています。

第三に、奄振推進の立場も環境保護の立場もともに奄美の「経済的自立」を主張しています。推進の立場からは、インフラ整備ありきで公共事業が自己目的化し、いつまで経ってもなかなか自立できないとの指摘があり、また環境保護の立場からは、奄美経済の現実は、基幹産業の衰退、若年人口の流出と人口減少といった非自立的な経済状態に陥っているとの指摘がなされました。

第四に、奄振推進の立場も環境保護の立場も、ともに「内発的発展論」が共通認識になっていることです。その「内発的発展」の内容は、欧米が工業化していった経験をもとに構築された近代化論が公認する単一の価値観ではなく、宗教、歴史、文化、地域の生態系などの違いを尊重して多様な価値観で行う多様な社会の発展であり、それぞれの地域にあった個性的な発展が必要だというものです。

（4）ゴルフ場開発をめぐる言説

龍郷町の市理原《いちりばる》リゾート計画では、ゴルフ場とホテルをつくり一九九三（平成五）年のオープン予定でした。また、住用村（現奄美市住用町）の市崎リゾート計画も、事業費約五五億円でゴルフ場を建設し一九九五（平成七）年度のオープンを目指していました。

地元紙『南海日日新聞』の記事からゴルフ場開発に対する「声」を集めてみると、開発賛成理由としては、「過疎、基幹産業の低迷など様々な問題を解消する切り札」、「低迷する大島紬に代わって経済浮揚が期待できるのはゴルフ場などの観光産業」、「人口流出や高齢化の歯止めを図り、若者の就業の場としてのサービス産業発展を図る」、「過疎化をくい止めるにはゴルフ場など観光リゾート産業の誘致がぜひ必要」、「過疎の脱却と地域の活性化にゴルフ場は不可欠であり、クロウサギと共存できる」、「海や自然、クロウサギを眺めても生活できない。自然あっての人間でなく、人間あっての自然だ」（住用村ゴルフ場建設促進村民会議）、「観光産業の振興を図るにはゴルフ場の建設がぜひ必要」（奄美観光協会ホテル部会）というものでした。

また、反対理由としては、「貴重な自然を再生不能なまでに変え、地域振興への貢献が確約できない先行き不透明な開発にばら色の夢を託すのは危険なかけ」、「日本の辺地はゴルフ場によって過疎地から脱却したという歴史を確立していない」、「貴重な生物資源を地域エゴや企業の論理で抹殺するような行為は時代に逆行するもの」、「ゴルフ場は山の中の原発」、「村の和がなくなるのが最大の公害」、「龍郷町の市理原のゴルフ場計画地はオキナワウラジロガシの古木やルリカケス、アカヒゲ等の天然記念物が生息し、動植物の生態系に危機的な影響を与える」（たつごう自然を守る会）というものでした。

以上、ゴルフ場開発問題について、その開発をめぐる言説に注目すれば、まず、公害反対の立場から「島興しは観光開発で」「観光開発か工業開発か」というように、「観光開発」が重視されたことです。次に、七〇年代の枝手久《えだてく》島石油基地建設問題も九〇年代のゴルフ場建設問題も「過疎化」の言説を開発推進の理由として繰り返し用いています。龍郷町のゴルフ場開発賛成の理由も、「過疎化、高齢化が急速に進み、集落行事もできなくなっている」からであり、「過疎化をくい止める」ため、「過疎の脱却と地域の活性化」のためだと繰り返し主張されました。自然に対しても、「人間あっての自然だ」と主張しています。他方、反対派の主張は、「貴重な自然を再生不能なまでに変え、地域振興への貢献が確約できない先行き不透明な開発にばら色の夢を託すのは危険なかけ」、「村の和がなくなるのが最大の公害」等々、開発によって喪失するものの大きさを訴える言説が特徴的です。

（5）奄美開発論再考

人類学者川田順造は、現代の「開発」を、人間の現世的欲望の無制約な拡大の容認と、その実現のための競争という市場経済の原則の一般的適用と、そこへの参加の条件をすべての社会に平等に与えるという援助・協力から成っていると指摘します。また、開発戦略の合言葉のようになっている「持続可能な開発」というスローガンは、その前提として、開発思想を支えている人間の欲望の果てしない増大を肯定する以上、原理的にも現実の問題としても矛盾を含んでおり、そこで、「人間の欲望の方を抑制しようという思想」が生まれると述べています。そして、資本主義経済が、最小限の消費で最大限の幸福を得ることの大切さを忘れさせ、消費の増大をもって富をはかる基準としたことの本末転倒を批判し、モノ中心の経済が横行している現実に対して、簡素な生活で満足を得る人生観と、手仕事の労働が人間にとって本来持っていた意味を復活させることの必要を説いています。「奄振」のあり方に反対の立場を貫く環境保護運動家の人々は、開発の思想を支えている欲望の増大に異を唱え、「人間の欲望の方を抑制しよう」という意味において、その反開発の立場を表明しているように見えます。

開発人類学者玉置泰明は、「多様な声を聞き取ること、すなわち多様性との共存=共生」こそが文化・社会の違いをこえてこれからの「よき社会」を考えるキーワードの一つであると指摘します。一九七〇年代の枝手久島開発問題と一九九〇年代のゴルフ場開発問題の間には、その問題の性格に置いて大きな違いがありますが、それは、後者の方が、その声の多様さにおいて遙かに勝るといえます。七〇年代の枝手久島開発問題では、声高に叫ばれたのは、「過疎」と「公害」でした。しかし、九〇年代のゴルフ場開発問題では、「環境」「自然」「雇用」「若者」「アマミノクロウサギ」その他奄美の貴重な野鳥や野生の動植物が登場し、反対派にも賛成派内部にも多くの多様な集団と声が登場しました。また、「いくつもの奄美」論も、奄美が「ひとつ」ではなく、多様性を増し、多様な声の束になってきたことの指摘でありました。

先に述べたように、「奄振法」の言説においては、繰り返し出てきた言説は、「県本土との格差是正」、「群島経済の自立的発展」、「基盤整備」でしたが、その「群島経済の自立」も、「均質な奄美」の前提に立った議論であり、時代の進展と共に、住民は「多様で動的な存在」となってきたにもかかわらず、奄振法は依然として「住民は均質なものである」という前提に立った法制化や開発計画の作成がなされてきたように思われます。

人類学者岡本真佐子はその著『開発と文化』（一九九六）で、「戦後独立して経済開発にのりだした国々にとって、『経済発展』はまさに『国民国家づくり』という大きな『ものがたり』と不可分に結びついていた。だからこそ、『経済格差』というものが『文化間の格差』に読み替えられたり、少数民族や異文化集団を抑圧するようなかたちで『開発』が進められることにもなった」と指摘します。経済格差が文化的に異なる集団の間に「差異」として現れてくる経緯を奄美の文脈で言えば、開発が進むにつれて社会内部の経済格差が広がり、その差が異なる文化や民族集団ではなく、異なる職業集団あるいは利益集団の間に出てくるということになるのでしょうか。

さらに、岡本は、近代の、ひたすら生産し消費するという経済活動は、それ自体が「終わりのない」発展という近代における「発展」の「ものがたり」にほかならならず、新興諸国の「発展」が「国づくり」のなかで語られてきたとすれば、ポスト産業社会はこのような「終わりのない発展」という「ものがたり」のなかで、ひたすら前を向いて走っていて、「そこには筋書きらしいものは何もなく、ただページをめくるたびに『先を読め』と書かれている本のようなものだ」と指摘します。さらに続けて、「そこには『国家づくり』にあったような、運動の『方向づけ』として意味を与えてくれるものが欠けている。『何のために』という大きなものがたりの『中身』がなくなっている」と指摘します。この「終わりなき」発展の前提となる「限りない前進」というポスト産業社会の「発展」の「ものがたり」こそ、まさに「奄振」のあるいは奄美の開発の「ものがたり」であり、その先行きに対する不安や不確実性が奄美の人々の間に空虚さやいらだちを感じさせたものではないでしょうか。国家づくりとしての発展も、限りない前進運動としての発展も、どちらもその中で「人間」が「人間らしく」生きていくことを難しくさせる。岡本は、従って、新しい「ものがたり」は地球や環境といったものを軸に据えて考えていくことになるだろうとした上で、今ある「ものがたり」のどこに問題があるのかを冷静に見極める作業が必要だろうと結んでいます。

奄振や奄美の開発をめぐって多くの意見の対立や議論があったことは、かつての戦後奄美の復興という古い「ものがたり」に代わる新しい「ものがたり」が生まれにくい状況と関係あり、岡本の指摘にあるように、地球や環境を軸に据えつつ「環境」のために「人間らしさ」を犠牲にしない、そのような「ものがたり」を創作できるか否かにかかっているように思われます。その意味では、近年、奄美の生物多様性の価値が広く島民に認識され、世界自然遺産登録への期待がふくらみ、以前ほど開発が声高に叫ばれなくなったことは、何か新しい「ものがたり」の誕生を予感させる兆しといってもいいかもしれません。

2　闘牛研究

（1）はじめに

本節は、「闘牛の島」として知られる徳之島の事例を中心に、闘牛という文化事象が「闘牛ネットワーク」の形成という高い「越境性」を有し、その関係性が「中心—周辺」に対する「周辺—周辺」ネットワーク的性格のものであること、そしてこの「周辺—周辺」ネットワークは、グローバル化の中のローカル化、すなわち、優れて「グローカル化」の一事例であることを検証します。

（2）闘牛ネットワーク

二〇〇四年一〇月二三日に新潟県長岡市を中心に大きな地震があり、この新潟中越地震で被災した山古志村（現長岡市）から徳之島に引き取られた闘牛が、翌年五月には現地の闘牛大会に新潟代表として登場し話題になりました。この事実は、これら闘牛の盛んな地域同士の間に緊密なネットワーク、すなわち「闘牛ネットワーク」とでも呼びうるものが形成され存在することを予測させせます。さらに言えば、現在、日本国内で闘牛が行われているこれらの地域は、東京や大阪などの政治や経済、文化や情報の「中心」に対して「周辺」に位置付けられます。つまり、両者の関係は「中心—周辺」的なものであり、「中心」から「周辺」へ人や金、情報、文化が一方的に流れるという「非対称性」あるいは「非対等性」であります。しかし、近年の世界的なＩＴ革命によるグローバル化の進展に伴い、国家や都市といった「中心」を介さない「周辺」同士の社会的ネットワークの構築が可能ないし容易になりました。こうした現象を、ここでは「周辺—周辺」ネットワークと呼ぶことにします。

（3）徳之島の闘牛

牛同士が闘う闘牛は日本をはじめとして、韓国、中国、東南アジア、パキスタン、トルコ、東欧まで広範な地域で見られます。日本で現在闘牛がみられるのは、南から沖縄（うるま市）、鹿児島（徳之島町、伊仙町、天城町）、愛媛（宇和島市）、島根（隠岐の島町）、新潟（小千谷市、長岡市）、岩手（久慈市）の六県九市町です。中でも現在最も盛んなのが沖縄、鹿児島、愛媛の三県です。また、沖縄には沖縄市、うるま市、宜野湾市、本部町、今帰仁村、読谷村の六市町村に一一ヶ所、徳之島には三町に一三ケ所、そして愛媛県では宇和島市に一ヶ所の闘牛場があり、一年を通して闘牛大会がそれぞれ三〇回、二〇回、五回ほど開催されています。中でも徳之島では、全島一の横綱を決める大きな大会が一月、五月、一〇月の年三回、しかも徳之島町、天城町、伊仙町の三町持ち回りで開催されています（写真2）。

徳之島では闘牛のことを「ナグサミ（慰み）」または「ウシオーシ」と呼び、一説には藩政時代から闘牛大会があり、砂糖地獄に苦しめられた農民が税を完納できた収穫の喜びを祝って「慰み」として行われたとも言われ、娯楽の少ない島民にとって唯一の楽しみだったといいます。もともと農耕用に使われていた牛が角を突き合わせて喧嘩するのを見て、牛主たちが意図的に闘わせたのが始まりです。また、戦前は奄美群島全域で行われていましたが、徳之島では一九四八（昭和二三）年頃に復活し、徳之島闘牛組合が設立され、島内の各町で輪番に闘牛大会が開催されるようになりました。また、学校や町、集落の行事を計画する

写真２　徳之島の闘牛大会

とき、闘牛大会の開催日を考慮するようになりました。徳之島では闘牛は今日においても中心的な娯楽のひとつとなっています。

徳之島の闘牛は、闘牛好きな有志たちの活動だけで成りたっています。また、徳之島の闘牛大会は全ての開催地のなかで最も観光化が進んでおらず、また観光化にそれほど熱心でもありません。正月、五月の連休、八月のお盆などの帰省客が多い時期に合わせて大会が催されるため、観光客よりも帰省客に楽しんでもらおうという意図が強く感じられます。島民の生計は観光ではなく農業を基盤としているため、徳之島の闘牛はむしろ社会的成功、娯楽、賭博といった要素が強く、徳之島の人にとって闘牛牛を所有することは一族の宝、家の繁栄の象徴といった意味合いもあります。全島一（横綱）の闘牛牛を育て上げることは、牛主あるいは多くの島民の夢であり、そのため、なにかと牛の勝敗に固執することも多いのです。

さらに、徳之島では、闘牛大会が島の経済構造や生活のリズムと深く関係しています。徳之島の主たる生業はサトウキビの生産で、正月休みを除くと、サトウキビの伐採が始まる十二月から製糖期間が終了する四月末までが闘牛のオフシーズンとなり、シーズン初めの五月には早速、労働の疲れを慰撫するかのように闘牛大会が開催されます。年中行事や学校行事なども闘牛を中心にリズムが枠づけられているようです。

徳之島では、最近は、沖縄、八重山、隠岐の島、新潟、岩手、宇和島など日本各地から闘牛牛を導入しています。また、横綱を狙うには体型の大きい岩手産が人気で、直接現地に行って仕入れてきたりしますが、徳之島の闘牛牛の多くは八重山牛だといわれています。

(4) 闘牛ネットワークの形成

日本で唯一の闘牛資料館のオーナーであり自前の闘牛ドームを持って闘牛の振興に尽力する徳之島町の伊藤範久氏への聞き書きを元に、闘牛ネットワークの形成過程について見てみましょう。伊藤氏は一九五五年に徳之島町に生まれ、高校一年生の頃から闘牛を始めました。最初は徳之島産の子牛を親から貰って育てましたが、高校を卒業後は島外で就職し、その間、牛の世話は弟にしてもらったといいます。徳之島に帰郷後、新たに牛を飼って闘牛を始めましたが、当時の牛は弱くて連敗を重ねたので、岩手県から大きくて強い牛を買うようになりました。岩手県には二回、三回と訪れていくうちに知り合いもできて、山形村（現久慈市）や遠野村、軽米町から子牛を買ってきました。岩手に牛を買い付けに行くきっかけは、沖縄など各地の闘牛場で岩手牛が活躍しているのを見たり、牛の体が大きかったからで、新潟産の大きな牛も山古志村から直接買い付けてきたこともありました。宇和島からも子牛を三頭買っています。沖縄については、闘牛の盛んな本部、島尻、うるま、具志川の各地との間で、子牛を買ったり、送ったり、贈ったりという関係を続けています。こうして牛の売買と情報のパーソナルなネットワークが広範囲に形成されてきたのです。

（5）闘牛サミット

闘牛サミットは、一九九八年に、島根県の隠岐の島町役場が全国闘牛サミット協議会事務局になって発足しました。その目的は、闘牛の貴重な伝統文化を有する市町村が一堂に会し、文化の保存・伝承と相互の交流、親善を深めるとともに、伝統的資源を活かした個性豊かなまちづくりを図ることでした。徳之島ではこの闘牛サミットがこれまで六回開催されてきました。なかでも二〇〇五年の「第八回全国闘牛サミット」は、徳之島闘牛連合会が主催して、五月三日に伊仙町で開催され、全国の五県七市町村の首長や闘牛団体の代表者の他に、鹿児島県知事や韓国からも慶尚北道清道郡の議会議長一行一一名が参加しました。そして二〇〇六年九月には、第九回全国闘牛サミットが、中越地震から復興間もない新潟県長岡市山古志で開催されました（図4）。二〇〇七年の一〇回大会は沖縄県うるま市で全天候ドーム型の闘牛場完成の祝賀をかねて開催され、二〇〇八年の第十一回大会は徳之島の天城町、二〇〇九年第十二回大会は岩手県久慈市、第十三回大会は二〇一〇年九月に島根県隠岐の島町で開催されました。

一方、韓国との交流は一九九九年に和牛三頭を韓国へ二年続けて送り、韓国の赤牛と対戦させたことに始まります。日韓戦と銘打ったおかげで、釜山近郊の清道市の闘牛場では、開催期間中に数一〇万もの観客を集めるほどの大イベントになりました（写真２）。

また、徳之島での全国闘牛サミットへも親善大使や来賓を派遣したりするなど、国際的な闘牛交流が

図４　第９回全国闘牛サミット

写真２　韓国清道市の闘牛フェスティバル

展開されました。しかし、狂牛病の問題が発生してからは、韓国でも牛の輸入が禁止となり、日韓交流戦はなくなりましたが、闘牛サミットの開催を通して、ローカルな地域同士が中央を介することなく直接結びつき、国内ばかりでなく、国境を越えた韓国の闘牛開催地との間にも盛んに草の根交流を行っていることがわかります。

(6) グローカル化と闘牛ネットワーク

すでにみてきたように、現在の闘牛開催地と闘牛牛の生産地は、主に、離島・僻地・農村といった周縁的性格を有してきた地域であり、そのような地域同士が人や牛や情報の直接交流を行い、ひいては「全国闘牛サミット」のような交流の新たな展開を見せているのです。こうした事実は、闘牛に関係する地域間の交流の性格が、近代化・都市化によりこれまで支配的だった「中心―周辺」あるいは「中央―地方」といった二項対立的なものではなく、周辺同士が中央を介さずに直接結びついてネットワークを形成するという現状が水面下で進展しており、これこそが、まさに情報化・グローバル化の時代のひとつの新しい地域社会のあり方を提示していると言えます。

また、従来、「中心―周辺」の議論で盛んにいわれたのは、「中心」に対する「周辺」の従属性や、逆に「中心」を活性化するものとしての「周辺」の存在であり、「周辺」は常に「中央」との関係でしかその存在価値を認められなかったのですが、闘牛開催地同士に見られる「周辺—周辺」ネットワークにおいては、周辺同士が対等に関係しあい、双方が活性化しあうという特徴を有するのです。こうして、闘牛開催地間に見られる「周辺—周辺」ネットワークの形成は、「グローバル化のなかのローカル化」のバロメーターであり、あるいはグローバル化への一つの新たな入り口とみることもできます。

3　奄美の環境保全の研究

（1）「生物多様性」の歴史的背景

一九七〇年代から八〇年代にかけて多くの生態学者たちは、人類の活動によって種の絶滅や生態系の改変が進んでいるとの認識を抱いていましたが、その頃彼らが使用していた専門用語は「生物学的多様性」（Biological Diversity）でした。一九八六年にアメリカで「危機にある多様性」をテーマに大規模なフォーラムが開かれた際に、フォーラムを主導した生態学者ウォルター・ローゼンが、「生物学的な多様性」から「学的（論理的）」（logical）という言葉を抜いて「生物多様性」（Biodiversity）という用語を提唱しました。目的を達成するには、科学的探究だけでは生態系の改変や希少種の絶滅を阻止することはできず、一般の人々の情念に働きかけて政治を動かす以外に方法はないとして、そのためのスローガンとして考案したのがこの Biodiversity（生物多様性）だったのです。会議は新聞やテレビで報道され、生物多様性という言葉は一躍ポピュラーになりました。また、それまで「生物学的多様性」という学術用語には関心のなかった市民、企業、行政等が、「生物多様性」という用語に対しては大いに意識するようになったのです。こうして、生物多様性は多くの人々にとって利用価値のある用語となり、国際政治を動かすキーワードの一つとなったのです。

そして、世界が初めてこの概念と正面から向き合ったのは、一九九二年における「生物の多様性に関する条約」（生物多様性条約）の採択でした。この条約は、同年、リオ・デ・ジャネイロで開催された地球サミット（「環境と開発に関する国連会議」）で採択され、一九九三年に発効しました。生物多様性条約は、それまでの特別な生物種の保全をめざした自然保護関係の国際条約と違って、生物多様性の「保全」、「持続可能な利用」、「遺伝資源の利用から生じる利益の公正・衡平な配分」を目的としています。生物多様性条約の目的部分では、生物の多様性の「保全」とその構成要素の「持続可能な利用」が並置され、生物多様性という枠組みの下にこの二つが並んだことで、より多くの主体が対話の席につく可能性が高まったと言われています。「保全」（自然保護）あるいは「持続可能な利用」という看板には懐疑的あるいは抵抗があった人々が、「生物多様性」がテーマであれば参加を考えるようになったのです。生物多様性という概念は、多様な人々が対話を交わすプラットフォーム（基盤）としての利点を備えていました。

奄美の自然環境と保全の問題は一九七〇年代の東亜燃料の石油基地計画に端を発した公害反対運動（枝手久問題）にさかのぼることができます。この計画で、賛成派と反対派が奄美大島を二分して激しく対立しましたが、この計画が立ち上がるまで、奄美では生物多様性の保全といった問題はほとんど存在しませんでした。また、奄美の人々の認識が「自然保護」から「生物多様性」にシフトしていったのは、二〇〇三年に奄美大島が世界自然遺産登録の候補地になって以降のことでした。奄美の生物多様性に関する保全活動は、行政・民間ともに様々な形で展開してきました。以下では、奄美の固有種であるリュウキュウアユの保全の取り組みについて紹介するとともに、課題や問題点についても言及したいと思います。

(2) 奄美の生物多様性

奄美の自然は、奄美にしか存在しない固有種や希少種が多いことが大きな特徴です。世界で奄美大島にしか存在しないリュウキュウアユや、奄美大島と徳之島にしかいないアマミノクロウサギがその代表的なものです。国土の面積の わずか〇・三％に過ぎない奄美群島において、国内全体の生物種の約一六％が確認されているほか、鹿児島県が条例で捕獲禁止に指定している動植物四一種のうち、奄美には二五種（六一％）が生息しています。

リュウキュウアユの生息地として有名な住用川と役勝川は深い湾の奥で海に注ぎ、両河川が運んできた土砂は広大な干潟を形成しています。この湾奥には、南西諸島では最北に位置する複合的な種構成を有するマングローブの群生林がみられ、奄美大島に残されたもっとも貴重な植生の一つとされています。二〇〇〇年に環境庁でまとめられた植物のレッドデータブックによると、日本全国で、ここ数一〇年の間に二〇種の植物が絶滅しましたが、その半数の一〇種が南西諸島地域で記録されています。また鹿児島県で記録されている絶滅種四種はすべて奄美群島地域に分布していたものです。さらにもっと絶滅の確率が高いとされる絶滅危惧種は全国で五六四種が記録されていますが、鹿児島県は群を抜いて多く一四七種（三六・一％）であり、沖縄県では一三六種、鹿児島県以外の九州他県では五〇種以下しか記録されていません。鹿児島県は全国の絶滅危惧種の約四分の一を占めているほど異常に多い絶滅危惧植物が記録されていますが、そのなかのもっとも絶滅の確率が高いとされる絶滅危惧種の約半数が奄美大島に集中しているのです。そこで、次に、リュウキュウアユの事例をもとに、奄美の生物多様性の保全に向けた様々な取り組みついてみていきましょう。

（3）リュウキュウアユの生態

アユは日本の代表的な淡水魚で、低水温を好むサケの近縁種でありながら南にまで生息する魚です。琉球列島のアユは、一九八八年に本州などにいる普通のアユの固有亜種として「リュウキュウアユ」と名付けられました。しかし、沖縄のリュキュウアユは、一九七〇年代後半に絶滅したといわれています。その後沖縄では奄美の親魚から生産した種苗を北部ダムに放流して、一万尾前後が定着しているといわれていますが、現在、奄美大島の個体群が世界で最南端に棲息している唯一のリュウキュウアユとみなされています。

リュウキュウアユは暖かい温度に弱く、特に稚魚の時期がそうであるため、その一番弱い時期を寒い冬に合わせて産卵してきました。また、子供時代に川へ遡上していったリュウキュウアユはどんどん成長し、秋になると下って川の河口近くで産卵します。産んだ卵は約二週間で孵化し、産卵した親はたった一年で死んでしまうので「年魚」とも呼ばれています。子供は海で育ちますが、奄美の住用地区のリュウキュウアユは真水と海水の混じった内湾の汽水域で過ごします。その周りにはマングローブの林があり、プランクトンがたくさんいて餌が豊富な上に、他の捕食魚からも逃げられるので、ここで育ってまた川を遡上していくということを繰り返すといいます。

奄美大島にはリュウキュウアユが自然の状態で生息している河川が五つあり、このうち四つは住用町に、もう一つは宇検村にあります。リュウキュウアユが減少した原因としては、河川改修、道路整備、土地造成による赤土流入が河川と内湾での生息域、餌場、産卵場を荒廃させ生息数を減少させているといわれています。赤土の土砂が川の中に流入すると、粒子が細かいためいつまでも濁りがとれず、下流域に留まって大事な産卵場に被害を与えるのです。二〇一〇年一〇月の秋雨前線と台風による集中豪雨で、リュウキュウアユの生息への影響が懸念されたましたが、増水の影響で河川内に堆積していた土砂が洗い流され、生息に適した深場が再生し赤土を含まない浮き石状の礫の瀬が回復した結果、二〇一一年の遡上数は平年の四倍へと大幅に増加したといわれています。奄美大島の主要四河川に生息する総数は、最大で三万尾程度で、過去に数十万尾いた時代があった可能性もあるといいます。リュウキュウアユは二〇〇四年の「鹿児島県希少野生動植物保護に関する条例」により、二〇〇五年春から捕獲禁止となりました。

リュウキュウアユの保全にとって必要なことは、干潟の再生と、温暖化対策としてダムへの個体群の移設が指摘されています。埋め立てで干潟がなくなると、湾内海水の冷却機能が失われ、マングローブ林からの栄養補給がなくなって餌となる生物が減り、捕食者からの逃げ場だった浅瀬を失うことなどから、リュウキュウアユの子供には住みにくい環境ができてしまいます。故に、干潟の再生でリュウキュウアユの子供の生息場を確保することや、また、リュウキュウアユは浅い流れの瀬で餌をはみ、夜は淵、地元でいう「こもり」で休息するので、そういった深みを回復させるのも重要だと言われています。

(4) リュウキュウアユの保全活動

二〇〇五年二月六日に、旧住用村西仲間に、リュウキュウアユが豊かに泳ぐ川と川の文化の復活を目指して「ヤジ友の会」が発足しました。地元ではリュウキュウアユを「ヤジ」と呼び親しんできました。リュウキュウアユが再び豊かに群れ泳ぐ奄美の川を取り戻すため、奄美リュウキュウアユ保全研究会と連携して広宣、啓蒙活動を行ってきました。その主な活動としては、内外の住民団体・企業・行政との協力連携、住用川及び役勝川淡水魚保護に関する意見書の提出、奄美多自然型川づくり実行委員会の設立、奄美の川と親しむ会の設立、奄美の川に対する大島支庁長あての要望書の提出などがあります。また、二〇〇四年四月には、奄美多自然型川づくり実行委員会が「奄美の川と語る会」を主催し、ドイツから近自然工法の河川技術者を招いてワークショップと講演会を開催しました。さらに、二〇〇五年一〇月には住用町の奄美交流センターにおいて、ヤジ友の会の主催により「リュウキュウアユ(ヤジ)サミット」が開催され、自然保護団体関係者や地元住民など約一五〇人が参加し、リュウキュウアユの現状や保全への取り組みが報告されました。その他にも、ヤジ友の会は、産卵床づくりイベント、黒潮の森マングローブパーク研修室でリュウキュウアユについてのミニレクチャー等々、多岐にわたる活動を展開してきました。

（5）環境保全の民俗知

昔は、堤防の代わりに川の上流まで竹林（キンチク）で川が仕切られていて、自然の堤防であるキンチクがあるうちは、洪水はほとんどなかったことから、コンクリートによる河川改修が原因でリュウキュウアユが減少したのではないかとも言われています。河川を全部コンクリートで固めると、石（巨礫）が失われ、水が滞留しなくなってリュウキュウアユの餌である褐藻が無くなるからです。さらに、当時から一番変わったのは川の流れだといいます。かつては「こもり」と称される深みが川の要所要所にあり、そういう深みにはリュウキュウアユが食べる餌が多かったため、三〇センチメートルぐらいの大きなリュウキュウアユが採れていたといいます。今は土砂が流れてきて川が浅くなり、土砂で「こもり」が埋まったためアユの餌がなくて大きくならないのだといいます。だた、近年の大きな変化としては、河川改修に際して、住民の代表も交えて河川改修のプランを立てるようになってきたことです。

（6）保全活動の特徴と課題

奄美の生物多様性の保全の取り組みは、世界自然遺産の候補地になったことによって活発になりました。その特徴として、国や県や市の行政が、個人や大学、民間団体による希少動植物種の生息調査や分布調査等の生物多様性に関する調査結果を上手に活用しつつ連携して保全活動にあたっている点にあります。また、リュウキュウアユの保全活動は「ヤジ友の会」を中心に活発に展開され、生物多様性の価値の啓蒙活動としては非常に大きな役割を果たしてきました。地域住民の民俗知についても、河川改修工事の際、リュウキュウアユの産卵や生息に不可欠な「こもり」や瀬、淵などを取り入れるなど実際に部分的に応用されたりしていますが、民俗知が、他にどの程度認識あるいは把握され、保全活動に活用されているかという点については今後の解明されるべき課題の一つであると言えます。

及川敬貴が指摘するように、「自然保護」がテーマとなると、一九七〇年代の奄美で問題になったように、利害関係の違いから対立が生まれやすく、また「持続可能な利用」がテーマになるとやはり懐疑的な人たちが出てきますが、「生物多様性」がテーマであれば、奄美の世界自然遺産に向けた取り組みで見られるように、利害関係を超えて多くの人々が対話の席につくことができます。その意味では、奄美においても、生物多様性は、実際、「多様な主体が対話を交わすプラットフォーム」となっているのだと思われます。世界自然遺産登録の問題は、奄美の生物多様性の認識を深め、奄美の自然の世界的価値の認識を促し、生物多様性の保全の活動への自主的な参加を促したと言えます。まさに、世界に奄美にしかいないというアマミノクロウサギやリュウキュウアユなどの野生生物の存在が、奄美の人々に生物多様性の価値や大切さの認識をもたらしてくれたと言えます。

4　その他の研究

奄美の人類学的研究と言えば、これまでは親族研究であったり、ノロや神役組織やユタのシャーマニズムの研究であったり、あるいはシマウタや八月踊りの研究などがよく知られていますが、今世紀に入ってからの二〇年くらいのうちに、奄美に関する様々な研究が次々と出てきました。その一部だけでもここに紹介してみたいと思います。

まず、沖永良部島出身の人類学者、高橋孝代は、「境界性」の概念を手掛かりに沖永良部島民のアイデンティティについて考察し、沖永良部島が「日本／沖縄」、「鹿児島／沖縄」、「奄美／沖縄」の三つの重層的な「境界」に位置してことから、島民はエラブンチュとして、日本人として、ヤマトンチュとして、ウチナンチュとして、あるいは鹿児島県民として、時にはアマミンチュとして複合多面的なアイデンティティをもち、従って、アイデンティティは統一されたものではなく、多面的で状況によってその部分的側面が顕在化し、時間軸の変化の中で絶えず変化し、生成されるプロセスにあると指摘しています。

次に、奄美の宗教研究はこれまで、ノロやユタなどの民間信仰についての研究やカトリックに関するものが多く見られる一方で、仏教に関するものは非常に限られていましたが、この研究を推し進めたのが財部《たからべ》めぐみの奄美大島における仏教の成立と展開に関する研究です。彼女は、奄美の仏教の特徴を、「檀家制度の欠如」と奄美独特の布教方法としての「慈善活動」のほかに、新たに奄美大島における仏教布教の「開教性」をその特徴として指摘し、島民の視点からは、明治初期の本願寺派の仏教の到来によって、島民が初めて個人の意思で諸宗教を選択する時代へ移行したとして、宗教の選択可能性の素地を作ったのが西本願寺派の布教展開だったことを明らかにしました。

奄美は台風常襲地帯でもあることから自然災害が多い地域ですが、災害に関する研究となると、その殆どが理工学系の技術的な研究ばかりでした。中国の人類学者、孟憲晨《もうけんしん》は奄美の住用町で発生した豪雨災害を中心に調査研究を行い、過疎高齢化の著しい地域における災害時と災害後の支援者と被支援者の関係を「老老支援」という視点から分析し、日常生活における個人をベースにした人間関係の形成・維持という仕組みと、非日常的な年中行事や祭りなどにおける地域的協働や共同性をベースにした人間関係の再構築や強化といった二重の文化的仕組みが、災害時の救援・支援の環境づくりにとって重要であることを明らかにしました。

奄美群島の中で最後まで土葬が残り、洗骨が行われていた与論島の葬制の問題についての研究が与論島出身の人類学者、町泰樹によって行われました。葬制の変容が生者と死者との関わり方をどのように変化させてきたのかを彼岸工学的アプローチを用いて考察し、近代の葬制の変化が生者と死者との直接的なコミュニケーションの機会を減少させてきたが、その一方で、それを支えてきたのは、神棚への拝礼や死者への語りかけなどの日常的な死者との関わり方であり、それが劇的に変化したのではないことを指摘しています。

奄美の葬制の変化を扱ったもう一つの研究が福ヶ迫加那による奄美大島宇検村の墓の共同化に関する研究です。宇検村では一九七〇年代から共同納骨堂の建設という現象が集中的に見られたことから、建設を支える要因を文化的、社会構造的、経済的観点から明らかにし、また、他出者側から見た共同納骨堂がもたらす変化とは何かということを墓の共同化という視点から考察しました。宇検村という奄美大島の一行政村で集中的に見られた共同納骨堂の建設という全国的にも珍しい現象は、今後さらに少子高齢化、過疎化が加速することが予想される日本社会の墓の問題を考える上では、先駆的研究であると言えます。

奄美の家族・親族研究やノロ・ユタの研究で見たように、奄美は女性が男性と同等に位置づけられてきた社会ですが、近代化が進む中で、女性の地位や役割はどう変わってきたのかという問題に焦点を当てた研究が、中国の人類学者、季慶芝《きけいし》の奄美の地域婦人会の変遷に関する研究です。奄美大島大和村における地域婦人会を主な事例として、地域婦人会の特徴や存在意味についてジェンダー論的な視点から考察し、大和村の地域婦人会が奄美大島の戦後の特殊な歴史的条件と文化的特徴に深く影響されていることを指摘しています。

先行する屋久島や小笠原諸島も視野に入れながら奄美のエコツーリズムの研究に切り込んだのが韓国の人類学者、宋多情《そんだじょん》です。彼女は、「ガイド」の視点から対象社会のエコツーリズムという観光現象を捉え、奄美群島のエコツーリズムは行政が主体として受容した「国策としてのエコツーリズム」であること、初期のガイドたちは「アウトドア体験」や「自然体感ツアー」など独自のツアー形式を確立した上で、外部からの理論としてエコツーリズム概念に接したが、自分たちの実践を「エコツーリズム」だと積極的に名乗ることはなかったことから、彼らにとってのエコツーリズムの受容とは「言葉の受容」に過ぎなかったと分析します。

沖縄の人類学者、津波高志《つはたかし》によれば、沖縄ではどんなに各地を探しても、奄美のような常設のりっぱな土俵はないと述べています。奄美は、かつて沖縄と同様に最初から組み合って技を掛け合う「組み相撲」が行われていましたが、薩摩・鹿児島の文化との接触変化を起こして、対戦相手と離れて立ち会い、有利な組み手の駆け引きをしつつ技を掛け合う「立ち合い相撲」になり今日に至ると指摘し、これを裏付けるかのように、江戸末期の一枚の相撲大会の絵に、奄美にすでに土俵があったことを発見しています。そこからさらに、そもそも「琉球文化」が基層にあって、それが「奄美文化」と「沖縄文化」に枝分かれしているが、奄美文化の文化変化は薩摩・鹿児島文化への同化や琉球文化と大和文化の折衷ではなく、接触によって起きた文化変容であると結論づけています。『琉球《りゅうきゅう》島《とう》真景《しんけい》』の相撲の絵や写真の絵解きから一つずつ謎を解明していく手法が読み手を魅了します。

Ⅳ　おわりに

これまでの奄美の人類学的研究を概観してわかることは、戦前から戦後にかけての研究が、項目的、羅列的、博物学的な記述から人類学的な学問的な体裁をとり、全体的あるいは個別専門的記述へと変わってきたことです。また、戦後の研究も、一九六〇年代から八〇年代の研究の特徴として親族、宗教、民間信仰、儀礼祭祀、民俗音楽などが主なテーマであったのに対し、九〇年代以降の研究はシマウタや八月踊りのインテンシブな調査研究や、開発、闘牛や相撲、葬制、婦人会、災害、環境保全、アイデンティティ、エコツーリズム等々、テーマが非常に多様化してきたことです。もう一つは、本書では詳しく取り上げることができませんでしたが、外国人による奄美の調査研究がさらに活発になってきたことです。こうした様々な研究の成果により、奄美の社会や文化がより立体的かつ鮮明にわかるようになってきました。今後もこの研究の多様化と深化は益々進んでいくことと思われます。

参考文献

池田清彦　二〇一二『生物多様性を考える』中央公論新社
上野和男・大越公平編　一九八三『奄美の神と村』（現代のエスプリ）至文堂
内田るり子　一九八三『奄美民謡とその周辺』雄山閣
及川敬貴　二〇一〇『生物多様性というロジック』勁草書房
岡本真佐子　一九九六『開発と文化』岩波書店

小川学夫　一九七九『奄美民謡誌』法政大学出版局
小川学夫　一九八九『歌謡の民俗：奄美の歌掛け』雄山閣出版
小川学夫　一九九九『奄美シマウタへの招待』春苑堂
小野寺浩　二〇〇九「地域論　二　奄美論」鹿児島環境学研究会編『鹿児島環境学Ⅰ』南方新社、pp.60-69.
小野寺浩　二〇〇九「環境を軸とした奄美論」鹿児島環境学研究会編『鹿児島環境学Ⅱ』南方新社、pp.11-46.
鹿児島県大島支庁総務課編『平成十五年度　奄美群島の概況』鹿児島県大島支庁
鹿児島大学プロジェクト「島嶼圏開発のグランドデザイン」編　二〇〇四『奄美と開発』南方新社
文英吉　一九六六（一九三三）『奄美大島民謡大観』私家版（文紀夫）
蒲生正男　一九五九「部落構造と親族組織」九学会連合編『奄美―自然と文化―』丸善、pp.302-326.
川田順造　一九九七「いま、なぜ「開発と文化」なのか」川田順造他編『開発と文化1』岩波書店、pp.1-57.
季慶芝　二〇一四「地域婦人会とジェンダー―奄美大島大和村大棚を事例として―」『島嶼研究』15：71-93.

季慶芝　二〇一五「地域婦人会による戦後の生活改善運動に関する一考察―奄美大島大和村の事例を中心として―」『島嶼研究』16：47-61.
季慶芝　二〇一五「島嶼における地域婦人会の変遷と現状：奄美大島大和村の事例を中心に」博士論文（鹿児島大学）
久保けんお　一九六〇『南日本歌謡曲集』音楽之友社
九学会連合編　一九五九『奄美―自然・文化―』弘文堂
九学会連合編　一九八二『奄美―自然・文化・社会―』弘文堂
クライナー、ヨーゼフ　一九六二「ノロ祭祀集団における神役の継承について」『民族学研究』27(1)：48-53.
クライナー、ヨーゼフ　一九六三「奄美大島の村落構造と社会組織―加計呂麻島須子茂部落のノロ制度」『社会と伝承』7(1)：43-63.
クライナー、ヨーゼフ　一九六七「南西諸島における神観念・他界観の一考察」大藤時彦・小川徹編『沖縄文化論叢2　民俗編1』平凡社、pp.448-460.
クライナー・ヨーゼフ　一九八二「南西諸島における神観念・世界観の再考察：奄美の祝女（ノロ）信仰を中心に」『沖縄文化研究』10：153-209.

クライナー、ヨーゼフ・田畑千秋　一九九二『ドイツ人のみた明治の奄美』ひるぎ社
桑原季雄　二〇〇四「軍政下奄美における人類学調査」『奄美ニューズレター』3：10-16.
桑原季雄　二〇〇五「奄美開発再考」鹿児島県地方自治研究所編『奄美戦後史』南方新社、pp.185-220.
桑原季雄　二〇一一「グローバリゼーションと闘牛」竹内勝徳・藤内哲也・西村明編『クロスボーダーの地域学』南方新社、pp.121-137.
桑原季雄　二〇一六「奄美大島における生物多様性の保全の取り組み」鹿児島大学生物多様性研究会編『奄美群島の生物多様性』南方新社、pp.361-389.
桑原季雄・尾崎孝宏・西村明　二〇〇七「東アジアにおける闘牛と『周辺―周辺ネットワーク』の形成」『南太平洋研究』27(2)：53-72.
小島美子　一九七七「奄美音楽の諸要素―奄美の音楽文化圏をめぐって」『人類科学』30：17-44.
酒井正子　一九九六『奄美歌掛けのディアローグ』第一書房
酒井正子　二〇〇五『奄美・沖縄哭きうたの民族誌』小学館
坂口徳太郎　一九二一『奄美大島史』丸山学芸図書
四宮明彦　二〇〇八「リュウキュウアユの魅力」『奄美ニューズレター』34：11-15.

四宮明彦　二〇一一「豪雨災害による河川生物への影響―リュウキュウアユでの例―」鹿児島大学奄美豪雨災害調査委員会編『2010年奄美豪雨災害の総合的研究報告書』鹿児島大学地域防災センター、pp.121-126.
下野敏見　一九八六『ヤマト文化と琉球文化』PHP研究所
住谷一彦・クライナー、ヨーゼフ　一九七七『南西諸島の神観念』未来社
宋多情　二〇一七「奄美大島におけるエコツーリズムの受容プロセス」『島嶼研究』18(1)：35-54.
宋多情　二〇一八『島嶼のエコツーリズムと世界自然遺産：奄美群島の事例を中心に』博士論文（鹿児島大学）
高橋孝子　二〇〇六『境界性の人類学―重層する沖永良部島民のアイデンティティ』弘文堂
財部めぐみ　二〇〇九「近代的布教としての慈善活動―奄美大島における本願寺派寺院を事例にして」『地域政策科学研究』6：127-142.
財部めぐみ　二〇一〇「奄美大島における近代仏教の布教過程の特質―宗教者の移動性と布教スタイルを中心に」『南太平洋研究』30(2)：1-12.
財部めぐみ　二〇一一「奄美大島における仏教の成立と展開」博士論文（鹿児島大学）
玉置泰明　一九九九「開発政策と人間」宮本勝・清水芳見編『文化人類学講義―文化と政策を考

える』八千代出版、pp.243-260.
津波高志　二〇一二『沖縄側から見た奄美の文化変容』第一書房
津波高志　二〇一八『奄美の相撲　その民俗と歴史』沖縄タイムス社
中谷純江　二〇一六「奄美群島における親族と社会組織」高宮広土・河合渓・桑原季雄編『鹿児島の島々』南方新社、pp.4-113.
中原ゆかり　一九九七『奄美の「シマのウタ」』弘文堂
中根千枝　一九六四「〈ヒキ〉の分析―奄美双系社会の血縁組織―」『東洋文化研究所紀要』33：119-155.
名越左源太　一九八四『南島雑話1・2』平凡社
西田睦・鹿谷法一・諸喜田茂充編　二〇〇三『琉球列島の陸水生物』東海大学出版会
昇曙夢一九四九『大奄美史―奄美諸島民俗誌―』奄美社
福ケ迫加那　二〇一四「奄美大島宇検村における「墓の共同化」：田検「精霊殿」創設の事例から」『南太平洋研究』35（1）：1-20.
福ケ迫加那　二〇一七「奄美大島宇検村における墓の共同化に関する文化人類学的研究」博士論文（鹿児島大学）

堀田満　二〇〇二「奄美の植物世界と人々」秋道智彌編『野生生物と地域社会―日本の自然とくらしはどうかわったか―』昭和堂、pp.156-182.
町泰樹　二〇一一「火葬場はなぜ忌避されたのか?―鹿児島県与論島における火葬場成立の事例から―」『地域政策科学研究』8: 169-189.
町泰樹　二〇一二「鹿児島県与論島における洗骨の規範化とその不成立:「火葬場必要論」と民俗知識の在り方をめぐって」『九州人類学会報』39: 1-18.
町泰樹　二〇一六『鹿児島県与論島における葬制の変容をめぐる文化人類学的研究』博士論文（鹿児島大学）
馬淵東一　一九七四「姉妹の霊的優越」『馬淵東一著作集　第三巻』平凡社、pp.163-191.
孟憲晨　二〇一二『島嶼における自然災害と地域社会:奄美大島住用地区の事例を中心に』博士論文（鹿児島大学）
孟憲晨　二〇一三「「老老支援」に関する考察:西仲間集落豪雨災害の高齢者支援を事例にして」『南太平洋研究』33(2):119-135.
孟憲晨　二〇一三「奄美大島における高齢者の防災に関する比較考察―知名瀬と西仲間両集落の住民の災害経験から―」『島嶼研究』14:55-74.

孟憲晨　二〇一三「奄美大島における風水害発生リスクの評価と危険回避行動について：奄美市西仲間集落と知名瀬集落の調査事例から」『東亜企業経営研究』2：231-250.

柳田国男　一九二五『海南小記』大岡山書店（『柳田国男全集1』ちくま文庫に再録、1989）

山下欣一　一九七七『奄美のシャーマニズム』弘文堂

英語文献

Haring, Douglas 1952. *Scientific Investigation in the Ryukyu Islands (SIRI): The island of Amami Oshima in the northern Ryukyus*, New York: Syracuse University

刊行の辞

鹿児島大学は、本土最南端に位置する総合大学として、伝統的に南方地域の研究に熱心に取り組み、多くの研究に成果をあげてきました。そのような伝統を基に、国際島嶼教育研究センターは鹿児島大学憲章に基づき、「鹿児島県島嶼域～アジア・太平洋島嶼域」における鹿児島大学の教育および研究戦略のコアとしての役割を果たす施設として、将来的には、国内外の教育・研究者が集結可能で情報発信力のある全国共同利用・共同研究施設としての発展を目指しています。

国際島嶼教育研究センターの歴史の始まりは、昭和五六年から七年間存続した南方海域研究センターで、その後昭和六三年から一〇年間存続した南太平洋海域研究センター、そして平成一〇年から一二年間存続した多島圏研究センターです。平成二二年四月に多島圏研究センターから改組され、現在、国際島嶼教育研究センターとして鹿児島県島嶼からアジア太平洋島嶼部を対象に教育研究を行なっています。

鹿児島県島嶼を含むアジア太平洋島嶼部では、現在、環境問題、環境保全、領土問題、持続的発展など多岐にわたる課題や問題が多く存在します。国際島嶼教育研究センターは、このような問題に対して、文理融合的かつ分野横断的なアプローチで教育・研究を推進してきました。現在までの多くの成果が様々な学問分野の発展に貢献してきましたが、今後は高校生、大学生などの将来の人材への育成や一般の方への知の還元をめざしていきたいと考えています。この目的への第一歩が鹿児島大学島嶼研ブックレットの出版です。本ブックレットが多くの方の手元に届き、島嶼の発展の一翼を担えれば幸いです。

二〇一五年三月

国際島嶼教育研究センター長　河合　渓

〔著者〕

桑原　季雄（くわはら　すえお）

［略　　歴］

1955年生まれ
1990年4月筑波大学大学院歴史・人類学研究科博士課程中退
1990年5月鹿児島大学教養部、1997年4月から法文学部で文化人類学を担当
2020年4月鹿児島大学名誉教授

［主要著書］

『鹿児島の島々』南方新社　2016年（共編著）
The Amami Islands 鹿児島大学国際島嶼教育研究センター　2016年（共編著）

鹿児島大学島嶼研ブックレット　No.14

奄美の文化人類学

2021年3月22日　第1版第1刷発行
2024年9月30日　〃　第2刷　〃
著　者　桑原　季雄
発行者　鹿児島大学国際島嶼教育研究センター
発行所　北斗書房
〒261-0011　千葉市美浜区真砂4-3-3-811
TEL＆FAX　043-375-0313
E-mail：hokutosyobou@jcom.zaq.ne.jp
定価は表紙に表示してあります

ISBN978-4-89290-056-3 C0039